O MONGE E O TOURO

Jûgyûzu — Os dez desenhos de domar o touro,
de Kakuan Shion Zenji,
traduzidos e comentados pela Monja Coen Rôshi

Ilustrações de Fernando Zenshô

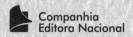
Companhia
Editora Nacional

© 2015, Monja Coen Rôshi
© 2015, Companhia Editora Nacional
Todos os direitos reservados
1ª edição – São Paulo – 2015

Diretor superintendente: Jorge Yunes
Diretora editorial: Soraia Luana Reis
Editora: Luciana Bastos Figueiredo
Assistência editorial: Chiara Mikalauskas Provenza
Revisão: Andrea Caitano
Coordenadora de arte: Juliana Ida
Assistência em arte: Aline Hessel dos Santos e Vitor Castrillo
Projeto gráfico e diagramação: Regina Cassimiro

Ilustrações: Fernando Zenshô
Fotografia das ilustrações originais: Felipe Fittipaldi

CIP-BRASIL. CATALOGAÇÃO NA PUBLICAÇÃO
SINDICATO NACIONAL DOS EDITORES DE LIVROS, RJ

R729m
Rôshi, Monja Coen, 1947-
O monge e o touro : jûgyûzu : os dez desenhos de domar o touro, de Kakuan Shion Zenji, traduzidos e comentados pela Monja Coen Rôshi / Monja Coen Rôshi ; ilustrações Fernando Zenshô. - 1. ed. - São Paulo : Companhia Editora Nacional, 2015.
56 p. : il. ; 21 cm.

ISBN 978-85-04-01977-3

1. Vida espiritual - Zen-budismo. I. Zenshô, Fernando. II. Título.
15-26388   CDD: 294.3927
                                        CDU: 244.82

14/09/2015 15/09/2015

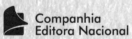
Companhia
Editora Nacional

Rua Gomes de Carvalho, 1306, 12º andar – Vila Olímpia
São Paulo – SP – 04547-005 – Brasil
Tel.: (11) 2799-7799
www.editoranacional.com.br
comercial@ibep-nacional.com.br

Este livro foi reimpresso em Setembro de 2019 pela Companhia Editora Nacional.
CTP, impressão e acabamento pela Gráfica Impress, em São Paulo-SP.

Estudar o Caminho de Buda é estudar o Eu.
Estudar o Eu é esquecer-se do eu.
Esquecer-se do eu é ser iluminada por tudo que existe.
Nenhum traço de iluminação permanece.

Mestre Eihei Dogen (1200-1253)

SUMÁRIO

I. Procurar o touro — 6
II. Ver as pegadas — 11
III. Ver o touro — 14
IV. Pegar o touro — 19
V. Domar o touro — 22
VI. Vir para casa nas costas do touro — 27
VII. O touro esquecido – o ser humano só — 30
VIII. O touro e o ser humano desaparecem — 35
IX. Retornar à origem. De volta à fonte — 38
X. Entrar na cidade com as mãos abertas — 43

Posfácio — 46
Nota ao leitor — 51
Gravuras históricas do mestre Kakuan Shion Zenji — 53

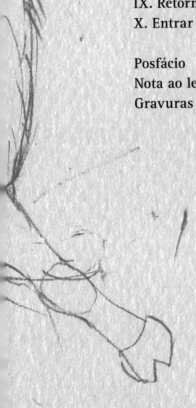

I. Procurar o touro

Sozinho no meio do sertão, perdido na
floresta, o menino procura, procura.
As águas se avolumam, as montanhas se
distanciam e o caminho é sem fim.
Exausto e desesperado, não encontra refúgio
em nenhum lugar.
Ouve apenas o cantar das cigarras ao
entardecer na mata.

A nossa natureza pura, simples e verdadeira está sempre presente. Entretanto, nos distanciamos da nossa própria intimidade. Onde a reencontrar?

O que é mais íntimo — nosso corpo e nossa mente — parece distante e desconhecido.

Apegamo-nos às aparências. Queremos riquezas e poderes comuns. Temos medo de perder, de falhar. Entre amor e ódio, gritamos pelo que julgamos ser o correto e repudiamos quem não concorda conosco.

A confusão e a discórdia prevalecem. Como se cada um falasse uma língua diferente, deixamos de entender a nós mesmos e aos outros.

Quando nos sentimos perdidos, solitários, distantes da plenitude, um pequeno raio de luz surge. Não o ignore. Perceba.

Deve haver algo mais do que os prazeres e sucessos mundanos.

Inquietos, procuramos aqui e ali. Há dúvidas e questionamentos incessantes.

Sabemos que nos distanciamos da verdade, pois somos a verdade.

O som da natureza — insetos, pássaros, vento, chuva — nos coloca no momento presente.

Sentidos alertas; inicia-se a procura.

É o primeiro estágio da prática espiritual.

Há algo faltando. O que é? Onde estará?

Não deixe a pergunta se calar.

A procura é o encontro. Procure. Dentro e fora está a grande intimidade perdida. Vá atrás. Quem sou eu? O que é real? O que é a vida? O que existe após a morte? Onde está o sagrado? Como se manifesta?

II. Ver as pegadas

Pelo riacho e sob as árvores, espalhadas
  estão as pegadas rápidas e fortes.
A grama, de aroma suave, cresce fartamente.
Viu ou não viu?
Mesmo nas profundezas das montanhas
  mais remotas
E quão distante possa vagar,
Suas fuças alcançam a imensidão do céu e
  nada o pode esconder.

Nesse segundo estágio as questões se multiplicam. A procura aumenta. Livros, grupos de práticas espirituais, gurus, mestres, ensinamentos. Percebemos que há algo em todas as tradições espirituais. Não sabemos ainda exatamente o quê. A procura ainda é intelectual. Queremos compreender através da mente lógica. Ouvimos palestras de várias escolas. Lemos até a exaustão.

Há algo por aqui. As pegadas estão visíveis. Vamos seguindo as orientações, ainda cheios de dúvidas.

Mas a fé nos impulsiona. A dúvida e a certeza se mesclam e seguimos procurando, agora com um certo rumo. Se praticarmos a meditação, o caminho da introspecção facilitará a busca.

Por mais que nosso espírito, nosso Eu verdadeiro ainda não se revele completamente, já não poderá mais se esconder.

Indo além das montanhas, além dos obstáculos, ainda vagando, podemos sentir que a fragrância da grama é real.

Os primeiros sintomas da prática correta: estar presente, sem julgar, sentidos alertas no aqui e agora.

Embora esses momentos ainda sejam passageiros, já começamos a vislumbrar a tranquilidade e a paz da presença absoluta.

Continuamos a busca. As pegadas estão visíveis.

Basta seguir o caminho dos mestres ancestrais.

Mas como são rápidos e fortes seus passos!

Força e coragem não devem faltar. Persistência e confiança são imprescindíveis agora.

III. Ver o touro

Nas árvores, os rouxinóis cantam e cantam.
O sol aquece e há uma suave brisa.
Na margem, o chorão é verde.
Não há lugar para esconder a esplêndida
  cabeça decorada com imponentes chifres
  — que pintor o poderia reproduzir?

Terceiro estágio.

Já aprendemos os princípios da meditação e do silêncio interior.

As coisas são como são e podemos percebê-las sem julgar.

O pássaro canta. O sol aquece. As folhas são verdes. A brisa sopra.

O touro, nosso Eu verdadeiro, nossa capacidade de sentir e perceber, está ficando mais claro. Já não mais se esconde entre o gostar e o não gostar. O pássaro voa e pousa suavemente. Plaina de asas abertas contra a nuvem branca e o céu azul. A mosca também voa, mas de forma diferente. Sem preferir e sem julgar, estar apenas presente. Como é forte e imponente, digna e resistente a nossa natureza verdadeira.

Alguns consideram que este é o ponto de ruptura. O ponto em que saímos das tramas superficiais da mente e iniciamos o encontro direto com a verdade sagrada.

Há várias formas de ver e de se tornar íntimo.

Muitas pessoas chegam até aqui e, depois, voltam a se dispersar.

Durante retiros longos e fazendo uso dos primeiros *koans* (estratégias milenares de ir além da mente comum), o monge (a praticante, o praticante) tem momentos de grande paz e tranquilidade. Tendo atravessado as marolas iniciais da beira da praia, deu o primeiro mergulho no oceano. Mas ainda precisa ir adiante, aprendendo a nadar, a furar as ondas e, sem medo, tornar-se a água, a voz do pássaro, o calor do sol, a brisa suave, o touro tranquilo.

IV. Pegar o touro

Com a energia de todo o seu ser, finalmente pega o touro.
Mas como é selvagem, como seu poder é ingovernável!
Em alguns momentos anda pomposo no planalto.
Quando, oh!, novamente se perde no enevoado impenetrável da passagem na montanha.

No quarto estágio de prática, pegamos o touro.

Sim, reconhecemos nossa natureza essencial.

Mas ela ainda parece ser incontrolável. Ora surge, ora desaparece. Há momentos de grande paz e tranquilidade. A sabedoria parece estar presente em nossas ações, palavras e pensamentos.

Em outros momentos, perdemo-nos e novamente estamos pensando de forma dualista, julgando, condenando. Irascíveis, falamos de maneira rude e inadequada; como se não conseguíssemos viver a plenitude do que percebemos. O touro precisa ainda ser conhecido intimamente.

É o momento de perceber os movimentos da mente, da fala, dos gestos.

O monge (a praticante, o praticante) vê a si mesmo e ainda não é capaz, em todos os momentos, de se comportar de forma digna e correta. Falha e se arrepende ou culpa outras pessoas e o mundo. É preciso seguir os ensinamentos de seus orientadores. Como é difícil... A pessoa considera que já sabe tudo, mas ainda não sabe.

É como entrar no mar sem ainda saber nadar bem. As ondas fortes o derrubam e arrastam de volta para a praia. Exausto e arranhado, tenta novamente.

Nesse estágio, há pessoas que desistem de tentar.

Há outras que continuam tentando sozinhas, cheias de soberba, e ficam cada vez mais frágeis e feridas.

A humildade precisa aqui ser cultivada. Não é inferior pedir ajuda, orientação e seguir as instruções de um bom guia.

Lembre-se de que o Eu verdadeiro é maior, tudo inclui. O eu pequeno, individual, é o grande Eu.

Não há nada a perder nem nada a ganhar. A prática precisa continuar, incessantemente.

Não desista. Aprofundando-se nos textos sagrados ou no estudo dos comentários sobre os *koans*, o monge (praticante) precisa agora demonstrar sua compreensão clara da experiência mística do terceiro estágio. É o momento de pegar o touro a unha. Pegar o touro com as próprias mãos.

Sentir seu cheiro, seu pelo, seu tamanho, sua forma. Ficar íntimo desse novo estado mental de ser e de perceber a realidade.

Entretanto, se não houver humildade, o praticante ficará aprisionado em si mesmo e não haverá progresso.

Em termos de prática zen-budista, neste estágio pode ser apontado como Shuso, líder auxiliar do mestre, e deve ter entrevistas diárias com seu orientador para que não se perca, não se torne orgulhoso, mas seja capaz de servir e criar harmonia na comunidade. Nos mosteiros, o Shuso toca o sino do despertar e, no trabalho comunitário, limpa os banheiros.

É necessário ser simples, humilde, dar o exemplo, e não, ordens. Como um dos textos zen-budistas clássicos recomenda: "Como um bobo, como um tolo, apenas o capaz de herdá-lo será chamado de mestre entre os mestres".

V. Domar o touro

*Não se separe, nem por um instante, de seu
   chicote e de sua corda.
Caso contrário, o touro vagueará no mundo
   de pó e desejo.
Quanto estiver devidamente amansado,
   tornar-se-á puro e dócil.
Sem correntes, sem amarras, por sua própria
   vontade, o seguirá.*

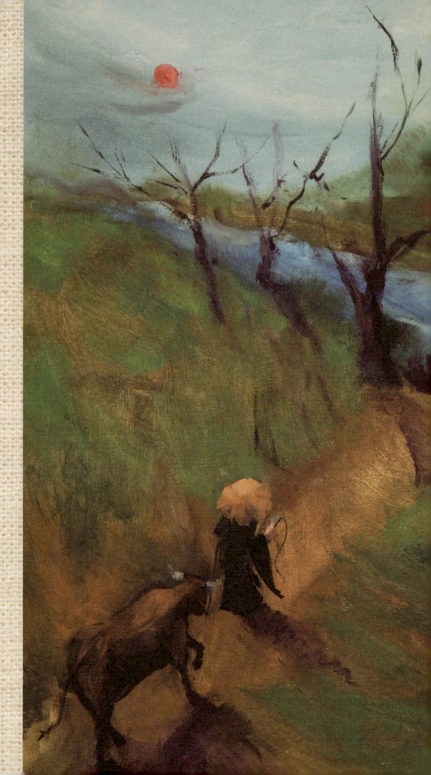

Quinto estágio: não vacile. Não é o mundo exterior ou as outras pessoas que levam você a errar e falhar. É sua própria mente. Buda dizia: "A mente humana deve ser mais temida do que cobras venenosas e assaltantes vingadores".

A nossa própria mente.

Por meio das práticas anteriores, da procura, dos estudos, da meditação, alcançamos certa clareza sobre nós mesmos e sobre o funcionamento da mente e do corpo. Entretanto, os condicionamentos — anteriores até mesmo ao nosso nascimento — continuam prevalecendo. Dizem os neurocientistas que só temos 5% de livre-arbítrio, que 95% já está determinado pela genética e pelas experiências intrauterinas, e após nascimento, pela infância, pela juventude e assim por diante. O que neste nível a prática do Zen propõe é que nos tornemos conscientes desses 5% para que possamos escolher sabiamente nossas atitudes, palavras e pensamentos. Ao perceber nossas respostas automáticas, raiva, tristeza, rancor e aprisionamentos, podemos nos libertar usando os 5% de livre-arbítrio para dar respostas (e não reações automáticas).

O processo de domar o touro é de transformação consciente persistente. A disciplina é essencial. Plena atenção em todos os momentos usando as circunstâncias do dia a dia para perceber nossos condicionamentos e agir de nova maneira. A maneira Buda, a visão iluminada deve prevalecer. O que Buda faria? Como um ser iluminado e sábio responderia às provocações da vida? Seu orientador deve ser sempre consultado. A confiança entre mestre e discípulo é essencial para atravessar essa etapa.

Tudo se auto autorrevela incessantemente. Mas é preciso estar ligado ao Eu maior. Cuidado com sua mente. Ela irá tentar e tentar mascarar a verdade e o caminho, pelo medo de não ser. Continue se esforçando.

Não há final ao clarificar o caminho e a verdade.

Este é o momento de manter a disciplina, de auto-observar-se e desenvolver a capacidade de escolher as suas respostas ao mundo.

Segure firme a corda e o chicote, como a imagem budista de Fudo Myôo, o Imóvel Senhor da Luz, aquele que mesmo entre as chamas das delusões (acreditar que a ilusão não é ilusão, mas real), entre o fogo ardente do falso, se mantém firme e é capaz de cortar a falsidade, amarrá-la com firmeza e viver a iluminação suprema. O treinamento se torna mais necessário e urgente. Cuidado com a indolência e a autoindulgência. Ainda há muito a ser conquistado, domado.

VI. Vir para casa nas costas do touro

*Cavalgando o seu touro, folgadamente se
   dirige para casa.
Envolvido pela névoa da noite, quão afinada
   é a sua flauta, que desaparece no ar.
Entoando uma pequena canção, marcando
   o tempo, seu coração está repleto de uma
   alegria indescritível.
Que agora ele é um dos que sabem, precisa
   ser dito?*

Finalmente o touro foi domado. Depois de anos e meses de prática incessante, seguindo os ensinamentos e o caminho dos mestres ancestrais, a pessoa foi capaz de se entregar completamente.

Não mais se importa com reconhecimento, fama ou ganho, lucro.

Na simplicidade da vida diária, aprecia cada instante e não é mais controlado pelas coisas mundanas.

Mesmo que seja provocado a se corromper, não mais se corrompe. Está íntegro.

Corpo-mente-espírito não são três.

Aprecia cada instante. A névoa da noite é símbolo da mente de não diferenciação, não preferências.

Está pronto para o que quer que aconteça e seu coração é de paz, tranquilidade, Nirvana.

Apenas quem chegou a esse estado o reconhece.

Sua flauta está afinada.

A prática, como dizia Buda, é como afinar um instrumento musical.

Se as cordas estiverem muito esticadas, quebrar-se-ão.

Se estiverem frouxas, o som será desagradável.

Há um ponto perfeito de equilíbrio, conseguido através do desequilíbrio, da tentativa, da persistência. É preciso insistir na disciplina e no cuidado. Sabedoria e compaixão caminham juntas.

Já não há mais nada a temer e nada a desejar. Vive com simplicidade e alegria. Agora é um dos que sabem, mais do que um dos que apenas creem.

O encontro se deu, a confirmação se fez e a intimidade foi obtida.

Obstáculos se tornam portais e o caminho é suave.

O caminho da sabedoria está aberto. Há harmonia entre o que se compreende e o que se faz.

Chegando aqui, dificilmente a pessoa se afasta da prática. Mas, cuidado. Ainda não amadureceu completamente. O fruto verde ainda amarga a boca de quem o prova.

VII. O touro esquecido – O ser humano só

*Cavalgando o touro, finalmente retorna a
   sua casa.
Onde, oh!, o touro já não é.
O ser humano sentado, só e sereno.
Embora o sol vermelho esteja alto no céu,
   ainda está quietamente sonhando.
Sob um teto remendado de palha, seu
   chicote e sua corda estão largados,
   sem uso.*

Neste sétimo estágio, o touro é transcendido, o eu é esquecido.

Mestre Eihei Dogen (1200-1253, fundador da tradição Soto Zen Shu) teve seu momento de grande iluminação depois de dez anos de prática incessante e exclamou: "Corpo-mente abandonados".

Já não há mais preocupação com o "eu", o "meu".

A compaixão se manifesta sem obstáculos. Já não há esforço na prática, mas a prática continua e cada vez se torna mais fácil e simples superar as dificuldades e problemas da vida e dos relacionamentos. Problemas e dificuldades continuam a surgir, mas agora de forma mais sutil. A atenção não pode relaxar. As armadilhas do caminho virão, com certeza. Acorde.

A relação mestre-discípulo se aprofunda em grande intimidade. O estudo dos cinco níveis entre absoluto e relativo são clarificados. O praticante vê a base absoluta da realidade, esclarece todas as perspectivas, vê o absoluto funcionando no mundo dos fenômenos e esclarece seu funcionamento. Só estará pronto quando perceber claramente a interpenetração entre absoluto e relativo.

O praticante se prepara para receber e fazer os votos permanentes: a Transmissão do Darma, cerimônia pela qual é confirmada sua habilidade e capacidade de compreender a verdade e transmiti-la de forma correta, auxiliando outras pessoas nessa travessia. Quando isso ocorre numa cerimônia formal realizada por um mestre verdadeiro e autenticado, o praticante se torna um professor auxiliar. Não é o estágio final. Ele é ainda aprendiz iniciante, mas percebe que há mais a ser obtido. Sempre há e sempre haverá mais a ser esclarecido e transcendido.

VIII. O touro e o ser humano desaparecem

*Tudo é vazio — o chicote, a corda, o ser
   humano e o touro.
Quem poderia avaliar a vastidão do céu?
Numa fornalha queimando forte, nem um
   floco de neve pode cair.
Obtenha esse estado, seja verdadeiramente
   um com os mestres do passado.*

O oitavo estágio é o grande vazio, chamado de *sunyata*, em sânscrito (língua antiga da Índia). O círculo perfeito, onde nada falta e nada excede. Sem princípio nem fim. A completude.

No grande vazio, nada possui uma identidade fixa e permanente. O chicote, a corda, o ser humano, o touro são a própria impermanência. São ao mesmo tempo interdependentes. A corda é feita de tudo o que é não corda. Assim o chicote, assim o ser humano. Somos criaturas que dependem do céu, da terra, do vento, das folhas, das águas. Todas as formas de vida tornam possível nossa vida. Aqui já não se diferencia o sagrado do profano. Budas e criaturas se mesclam.

A mente vazia como o céu recebe todas as nuvens e acolhe todos os pássaros, insetos e aviões. Sem preferências nem aversões. A flor não desabrocha para nos aclamar. A natureza não se manifesta para nos exaltar. Tudo é assim como é. Vazio de uma identidade fixa e permanente. Transformando-se e sendo transformado a cada instante.

O diálogo entre o mestre Bodidarma (século VI) e o imperador chinês que o recebeu ao chegar da Índia, esclarece:

Imperador: "Tenho construído mosteiros, templos, auxiliado monges e traduções de textos sagrados. Assim obtenho grandes méritos, não é?"

Monge: "Não méritos."

Imperador: "O que é sagrado, então?"

Monge: "Nada sagrado."

Imperador furioso: "Quem está à minha frente?"

Monge: "Não sei."

O imperador representa, aqui, o mundano. Os valores de ganhar méritos, fazer o bem para receber o bem de volta. Para ele, existe sagrado e profano. O que não é errado, é o ponto de vista do relativo. Tem a sua importância. Certo e errado existem e precisamos escolher um caminho: fazer o bem a todos os seres.

O monge apresenta o ponto de vista do absoluto. Do *sunyata*, do grande vazio, do ensinamento supremo. Que também é o de fazer o bem a todos os seres, porque se identifica com todos.

Mas o imperador não estava preparado e não o compreendeu, perdido no mundo das palavras. "Quem está à minha frente?", sua última desesperada pergunta, que significa: Quem é você? Quem você pensa que é para falar assim comigo? E o monge apenas responde: "Não sei".

Já não há mais um "eu" individual que quer provar estar certo, quer vencer, quer ganhar, quer respeito, precisa de méritos ou se preocupa com deméritos. Entretanto, ainda falha, pois não conseguiu se fazer entender pelo imperador.

Segue, sem olhar para trás.

O imperador, mais tarde, percebe que havia encontrado um sábio verdadeiro. Tenta trazê-lo de volta à corte. Mas ele já está longe, na caverna solitária, sentado em *zazen* (meditação silenciosa). Aguarda por alguém que possa vir a ser seu sucessor. Esse alguém surge nove anos depois.

Já não há pressa. O tempo é a existência. O que são nove anos no infinito eterno?

Sem ir nem vir. Intersendo. Interconectado a tudo e a todos, ao sagrado e ao profano.

O caminho alcançado.

A confusão cessa. A serenidade prevalece.

O círculo perfeito.

IX. Retornar à origem.
De volta à fonte.

*Muitos passos falsos foram dados para
   retornar à origem e voltar à fonte.
Muito melhor teria sido ficar em casa, cego e
   surdo, sem nada fazer?
De dentro do casebre, sem tomar
   conhecimento das coisas de fora.
Deixe apenas os riachos fluir tranquilos
E as flores desabrochar vermelhas.*

Nono estágio: a ameixeira está desabrochando após o inverno gelado. Os pequenos botões são a primavera. Com as dificuldades superadas, já não há mais questionamentos sobre a origem e o fim.

O coração-mente está identificado com o multiverso, que contém tudo e todas as coisas.

O fundamental, o eterno está em nós e em tudo.

"Desde o principio nada existe. Onde poderia a poeira se assentar?", trecho de um poema do monge Daikan Eno, na China antiga.

É do lodo que surge a flor de lótus.

A essência do ser está espalhada em cada molécula, em cada partícula. Não há um lugar específico para o sagrado.

Quem não está apegado à forma não precisa ser reformado.

Livre e puro desde o primeiro instante, ainda assim a caminhada foi necessária.

Desde o princípio a verdade é clara. Por que tantas andanças? Teria conseguido se manter na verdade se não houvesse dela se afastado para a reencontrar?

Sempre em si mesmo.

Esse "eu" sem dentro nem fora. Intersendo com tudo o que existe. Desabrochando na ameixeira vermelha.

Neste momento, o praticante está pronto para descer da montanha, sair do casebre, da choupana, do esconderijo, da caverna. É o desabrochar. É a fragrância suave que não ofende.

Tantas voltas para perceber o que é criado e destruído incessantemente. Tantas voltas para retornar a si mesmo e se perceber simples e tranquilo. Unido a tudo o que existe.

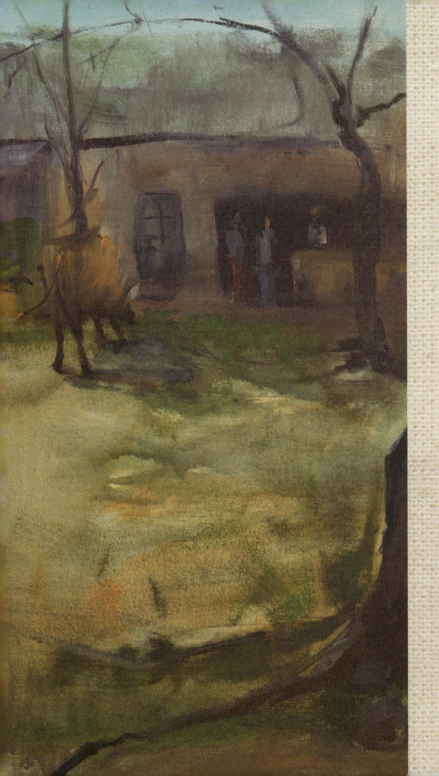

X. Entrar na cidade com as mãos abertas

*Com o peito nu e os pés descalços, surge no mercado.
Coberto com lama e cinzas, é vasto seu sorriso!
Não exibe poderes miraculosos,
mas, ao tocá-las, oh!, as árvores mortas florescem.*

Décimo estágio: voltar ao mundo comum de mãos abertas, pronto a auxiliar a quem precise, sem escolher esse ou aquele.

Não precisa de títulos, não precisa de medalhas e hábitos (roupas) brilhantes. Sem nenhuma rigidez comportamental, carrega uma cabaça, onde se guardava bebida, simbolizando a pessoa que fica à vontade e tranquila, sem que nada lhe falte.

Um caminhante de montanha, com o longo cajado para medir a altura das águas ou do buraco, sem ser pego de surpresa porque está atento e suave.

Uma atenção sem esforço, chamada de não atenção atenta.

Livre das amarras do mundo, se torna uma pessoa simples. Tranquila e verdadeiramente feliz. Faz o que é adequado, sem ser bonzinho. Livremente entra e sai tanto da cidade como da cabana. Onde quer que esteja, está em casa. Todos os que encontra são seus familiares. E deixa a porta fechada de sua cabana. Nem mesmo os sábios podem penetrar sua intimidade. A luz da sabedoria perfeita, que obteve, mantém escondida. Sem alarde, sem alvoroços, sem tronos nem guardiões, cobre os passos dos sábios antigos.

Sua figura faz lembrar a de um monge chamado Hotei, na China antiga, que mantinha os hábitos rústicos e remendados, vivenciava a pobreza verdadeira, pois por saber que nada pertence ao ser, nada possuía.

O monge Hotei vivenciava a não avareza, a não ganância — tanto intelectual, filosófica, espiritual quanto material. Carregava uma sacola nas costas — o que recebia ali colocava e mais tarde distribuía entre os necessitados.

Atendia à necessidade verdadeira e não aos desejos comuns.

Onde precisassem de ajuda, lá estava para ajudar. Sem orgulho, sem expectativas de ganho. Sem poderes mágicos. Sem superpoderes, sem milagres, sem paranormalidade.

Um ser comum. Um ser humano que aprecia a vida.

Vive no mundano — nas cinzas e na lama.

A mesma lama que faz brotar as flores perfumadas, que fertiliza a terra, que permite à raiz da flor de lótus germinar. Flor de lótus imaculada — onde a poeira não se assenta, cuja raiz fica na lama e é branca por dentro.

A mesma cinza das tristezas que alimentam a vida, do sofrimento que, quando acolhido e respeitado, nos mostra o caminho iluminado — o caminho da libertação do sofrimento.

Ao tocar árvores aparentemente mortas, faz surgir a vida, as flores, as folhas, o fruto real.

As pessoas desencantadas e aparentemente mortas para a vida, as fazia vicejar e nelas renascer a fé, a esperança e a alegria de viver.

Este é o décimo estágio: além do perfeito e do imperfeito, o mais que perfeito.

Em alguns quadros, nessa última imagem surge um jovem, talvez um menino, também carregando uma trouxinha de andarilho. Um novo caminhante, que reinicia o ciclo dos Dez Desenhos do Monge e do Touro. E os dez desenhos se tornam um círculo.

O ponto de chegada é o ponto de partida.

POSFÁCIO

Quando Fernando Zenshô, praticante zen do Rio de Janeiro, me consultou sobre fazermos juntos um livro sobre a história do monge e do touro, ele me presenteou com uma pintura belíssima. Era uma pequena aquarela, de uns quinze centímetros, do monge montando o touro desajeitadamente. Cores suaves e o movimento perfeito.

Lembrei-me de que há muitos e muitos anos, quando ainda estava em treinamento no Mosteiro Feminino de Nagoia, no Japão, uma das minhas companheiras monjas me presenteou com a gravura da mesma etapa. Não ainda o touro manso e seu montador tocando flauta, tranquilo e voltando para casa, para o local de paz e tranquilidade da própria mente. Era ainda o momento anterior, em que já havia pego o touro, mas este corcoveava e queria jogar sua montaria ao chão. Agarrando-se como podiam, o menino (no desenho japonês) e o monge (na pintura de Zenshô) ainda estão no estado de dualidade. Existe um Eu verdadeiro, um touro, e uma pessoa que quer domá-lo.

No processo da jornada espiritual, o touro representa nosso Eu verdadeiro. A primeira impressão que temos é a de que o touro representa nossa bestialidade, nossa animalidade, e que precisa ser domado. Na verdade, nossa ignorância é representada por nós mesmos, pela imagem humana. Esse ser humano que inicia a busca por algo desconhecido.

Não há momentos em que estamos assim?

Momentos em que nos questionamos sobre a vida, sobre a morte, sobre o significado da existência, sobre a pobreza, a fome, o desperdício, sobre alegria, felicidade, céu, paraíso, demônios e sobre Deus?

Muitas vezes fugimos das questões existenciais e vamos nos distrair com alimentos, sexo, drogas, festas, roupas, sucesso profissional, sucesso intelectual, filosofias e religiões. Podemos nos tornar grandes pesquisadores de textos, colecionadores de obras raras, apreciadores de vinhos e bebidas exóticas. Mas não nos libertamos das questões existenciais que colocamos embaixo do tapete.

Momento surge em que elas retornam. Novamente as tentamos esconder. Vamos sair, ir ao cinema, rir, nos exibir uns aos outros, brincar, contar piadas, tomar partido, fazer campanhas por isto ou aquilo, começar dietas especiais.

Até nos tornamos pessoas boas, equilibradas, interessadas no meio ambiente e nos equilíbrios socioambientais.

Mas, e nosso equilíbrio interno?

Praguejamos, nos lamentamos, reclamamos, fazemos passeatas, insultamos uns aos outros. Acabamos nos enredando em disputas, conflitos, guerras, abusos, crimes. Amamos de forma tão possessiva que deixa de ser amor. Perdemos o sentido da vida. E as perguntas surgem novamente.

Alguns de nós precisam passar por grandes sofrimentos para iniciar a jornada — a perda de entes queridos, uma doença terminal. Outras pessoas a iniciam por querer tranquilidade, paz mental.

As inquietações da mente já não se satisfazem com prazeres mundanos e os calmantes deixam de ser efetivos.

Procuramos.

Quem procura encontra.

É preciso saber o que procurar.

Mas, como nos desenhos de inspiração iluminada do velho mestre Kakuan, começamos procurando sem saber o quê.

Então, encontramos pegadas, pistas. Em sutras sagrados (ensinamentos de Buda), em textos das várias tradições espirituais, como a Bíblia, o Novo

Testamento, a Torá, o Alcorão, os Vedas, Upanishads e tantos outros escritos. Também refletimos e repetimos sobre canções das tradições orais de origem africana ou dos povos nativos. Os ensinamentos são as marcas deixadas pelos nossos mestres ancestrais, para que possamos iniciar a jornada. Ninguém a poderá fazer por nós.

Dos traços encontramos a verdade. No início, vemos apenas partes. Mal a entendemos em sua completude. É grande, majestosa. Mas se afasta e foge. Queremos agarrá-la, e nosso querer ainda é cheio de nós mesmos. Com apegos, aversões, conceitos, ideias.

Na procura, vamos nos despindo de nós mesmos.

Dos nossos condicionamentos e maneiras de ser e de pensar.

De repente o touro se deixa pegar. Porque nos tornamos hábeis, porque estamos nos tornando capazes de abandonar as ideias e os conceitos e entrar em contato com a realidade pura e simples.

Finalmente montamos o touro. A verdade tem de se tornar nossa grande íntima. Mansa e tranquila, deixa-se montar e nos leva — agora, sim, pacificados — para nossa casa. A casa, um local simples e natural, uma cabana de palha que nos protege do sol e da chuva.

O touro fica pastando do lado de fora da casa. Tranquilo, já não mais foge e se afasta.

Em seguida, tudo desaparece.

Penetramos o grande vazio. As formas de prática, as meditações, as orações, as liturgias, as leituras, as indagações, as orientações com mestres e mestras, tudo transcendido. O círculo vazio. Só e completo.

Meu nome monástico veio de um poema antigo que assim dizia:

Mente lua (ShinGetsu)
Só e completa (CoEn)
A luz faz com que todas as formas surjam
Quando luz e forma são esquecidas
O que é?

O círculo vazio nada delimita. Sem fora nem dentro. A completude.
Mas não ficamos no vazio.

Surge um ramo de ameixeira: a árvore da Transmissão do Darma, símbolo da transmissão dos ensinamentos de geração a geração, de pessoa a pessoa.

Nos países frios, as ameixeiras são as primeiras a florescer. Durante o inverno, sob a neve, parecem árvores secas, mortas. Entretanto, basta aumentar um pouco a temperatura que os botões surgem em suave fragrância. Primeiro as brancas e depois as vermelhas. As flores surgem, desabrocham e caem. Onde caem, alimentam a árvore ou se tornam outras árvores.

E no décimo desenho o voltar à cidade.

Voltar ao mercado de trabalho. Voltar aos conglomerados de pessoas. Não para se impor. Não para ser endeusado, mas para servir. Mãos abertas para cuidar respeitosamente e amorosamente, com sabedoria e ternura. Tornar-se uma pessoa simples e boa. Alegre e participativa.

Logo se aproxima outro peregrino e o círculo recomeça.

Há mais de oitocentos anos essa obra tem servido de guia a praticantes e mestres. Há inúmeras reproduções. Procurei aqui traduzir, de forma compreensível, ao público brasileiro de nossa época, os prefácios e os poemas do Mestre Kakuan Zenji.

Li vários trabalhos e comentários de mestres japoneses e norte-americanos, além de ter ouvido palestras, durante meu treinamento no Japão, do meu falecido mestre de transmissão, Zengetsu Suigan Daiosho (Yogo Rôshi), bem como de meu mestre de ordenação monástica na Califórnia, Koun Taizan Hakuyu Daiosho (Maezumi Rôshi).

Durante meus doze anos de treinamento intensivo no Mosteiro Feminino de Nagoia, também pude ouvir os comentários de nossa superiora, Kakuzen Shundo Daiosho (Aoyama Rôshi).

Aqui apresento humildemente a minha versão.

Espero que possa auxiliar praticantes de todas as tradições espirituais, reconhecendo etapas desta jornada. Cuidado apenas para não se considerar o Monge Hotei, do décimo desenho.

Lembre-se sempre de que estamos girando e girando. E quando chegamos ao décimo estágio, voltamos ao primeiro, para com mais profundidade e respeito penetrar a Verdade e o Caminho.

NOTA AO LEITOR

Os dez desenhos de domar o touro (em japonês, *Jûgyûzu* e, em inglês, *The Ten Oxherding Pictures*) — bem como os poemas que os acompanham — foram originalmente criados pelo monge Kakuan Shion Zenji, mestre Zen do século XII, na China. Foi um de seus discípulos, o monge Jion, quem os publicou pela primeira vez, no mesmo século XII, e acredita-se que tenha sido ele, Jion, a escrever os prefácios que acompanham cada desenho, bem como uma introdução.

Kakuan Shion Zenji pertencia à linha Yôgi da Escola Zen Rinzai, sendo membro sucessor de uma das linhagens de grandes mestres da China antiga, cujos trabalhos são até hoje estudados e apreciados.

Esses desenhos ilustram o desenvolvimento espiritual de um praticante, desde o momento em que entra no caminho até a completude de seu treinamento — se é que podemos dizer que há completude. O caminho de prática, mesmo quando nos tornamos professores, mestres, continua.

Há várias coleções, que diferem um pouco umas das outras, com sete etapas, doze e esta, a mais divulgada e conhecida, das dez etapas do Mestre Kakuan Zenji. O processo pode ser subdividido em qualquer número de etapas. Na verdade, o que existe é um sentido sutil de interfaces entre os vários estágios.

O Caminho da Iluminação é uma jornada espiritual para descobrir nossa natureza verdadeira. Desde o princípio somos perfeitos e completos, nada falta. Como não há nada externo a ser obtido — nada que alguém nos possa dar ou que possamos receber —, a jornada espiritual é incessante. Um trabalho de escavar profundamente os vários níveis de condicionamentos para acessar a base do nosso próprio ser.

Condicionamentos existem desde antes do nascimento. Falta-nos conhecê--los para podermos agir de forma mais adequada às provocações da vida.

Cada etapa da jornada espiritual envolve os pontos cruciais de se tornar consciente das nossas questões profundas. Reconhecer nosso impulso por clareza e desenvolver nossa aspiração pela verdade, pelo conhecimento — o que chamamos de iluminação. Precisamos nos tornar livres. Livres e corresponsáveis pela realidade em que vivemos.

Cada passo deve reabrir as questões, as grandes dúvidas: Quem sou eu? O que sou eu? O que é a verdade? O que é a realidade? O que é vida? O que é morte?

É necessário também ter fé. Não uma fé sem questionamento, mas a fé da confiança em nós mesmos — de que é possível — e no processo que nos é confiado e transmitido através dos séculos.

Entretanto, sem determinação, perseverança, não chegaremos lá.

Assim sendo, a dúvida, a fé e a perseverança são os elementos básicos dessa caminhada.

É uma jornada sem atalhos, uma jornada em que encruzilhadas podem nos desviar do caminho correto e podemos adentrar vias laterais que não nos levam à essência de nós mesmos. Mas sempre é possível perceber o erro e corrigir. Refazer a trilha. Reencontrar a senda.

O caminho está aberto e os sinais estão gravados de forma sutil e invisível.

Apenas quem realmente os procura será capaz de encontrá-los.

Aprecie a jornada e desperte.

Este é o caminho para a transformação de uma sociedade violenta em uma verdadeira irmandade de respeito e harmonia entre seres humanos no cultivo de uma cultura de paz, de não violência ativa.

Mãos em prece,
Monja Coen

GRAVURAS HISTÓRICAS DO MESTRE KAKUAN SHION ZENJI
COM COMENTÁRIOS DE SEU DISCÍPULO, O MONGE JION

GRAVURA 1

O touro nunca se perdeu.
Qual o sentido de o procurar?
Afastando-se de seu próprio despertar, acaba emaranhado.
Perde a intimidade consigo mesmo ao encobrir sua natureza própria.
Sua casa fica mais e mais distante. As estradas laterais e as encruzilhadas se confundem.
Desejo por ganho e medo de perda queimam como fogo.
Ideias de certo e errado disparam como flechas.

GRAVURA 2

Com a ajuda dos ensinamentos e inquirindo sobre as doutrinas, ganha-se alguma compreensão: as pegadas foram encontradas.
Agora sabe que os recipientes, embora variados, são todos de ouro e que o mundo objetivo é um reflexo do Eu.
Entretanto, é incapaz de distinguir o que é correto e incorreto. Sua mente ainda confunde a verdade e a falsidade.
Como ainda não adentrou o portal, dizemos, provisoriamente, que viu as pegadas.

GRAVURA 3

Através do som, você obtém a entrada.
Pela visão, fica face a face com a origem.
Todos os seus sentidos estão em ordem e harmonia.
Manifesta-se presente em todas as atividades.
É como o sal na água e a cola na tinta.
Ao levantar as pálpebras, descobrirá que não há outro além de si mesmo.

GRAVURA 4

Escondido há muito na mata, finalmente encontra o touro e coloca as suas mãos sobre ele.
Mas é difícil mantê-lo quieto, constantemente saudoso do antigo e doce cheiro do campo.
A natureza selvagem ainda é ingovernável e recusa a se dobrar.
Se quiser manter o touro em completa harmonia, certamente terá de usar o chicote.

GRAVURA 5

Quando um pensamento surge, outro o segue e depois mais um — muitos pensamentos assim despertam.
Através da iluminação, tudo se torna a verdade.
Caso resida na ignorância, o falso prevalece.
Isso acontece não por causa do mundo objetivo, e sim da mente, que engana a si mesma. Não permita que a corda da argola do focinho fique frouxa. Segure-a com firmeza e sem vacilar.

GRAVURA 6

O confronto terminou.
Ganhar ou perder já não importam.
Cantarolando músicas campestres dos lenhadores e entoando canções simples de crianças do campo, monta as costas do touro, seus olhos fixos em coisas não da terra, mas do céu.
Mesmo que seja chamado, não virará a cabeça. Por mais que seja atraído, não voltará atrás.

GRAVURA 7

Não há dois Darmas.
O touro é simbólico.
Quando você sabe que o que precisa não é o laço ou a rede de caçar, mas a lebre ou o peixe, é como o ouro separado da escória, é como a lua surgindo das nuvens.
O raio de luz serena e penetrante brilha mesmo antes dos dias primeiros.

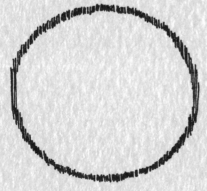

GRAVURA 8

Toda confusão é deixada de lado e apenas a serenidade prevalece.
Mesmo a ideia de sagrado não é obtida.
Não se demore onde Buda está, e onde não há Buda passe rapidamente.
Quando não existe nenhuma forma de dualismo, mesmo mil olhos falham em detectar uma fenda.
A sacralidade para a qual pássaros oferecem flores é falsa.

GRAVURA 9

Desde o princípio do princípio, puro e imaculado, observa o surgir e o desparecer enquanto se mantém na serenidade do não fazer.
Isso não é o mesmo que a ilusão, por que se apegar?
As águas são azuis, as montanhas verdes.
Sentado, só as observa surgir e passar.

GRAVURA 10

Seu casebre está com a porta fechada e mesmo o mais sábio não o penetra.
Escondendo sua luz, cobre as pegadas dos sábios do passado.
Carregando sua cabaça, chega à cidade.
Apoiando-se em seu cajado, volta para casa.
É encontrado em companhia de beberrões, caçadores e pescadores — todos transformados em Budas.